Un hosanna sans fin

Du même auteur

Aux Éditions Gallimard

La Gloire de l'Empire, 1971.
Au plaisir de Dieu, 1974.
Le Vagabond qui passe sous une ombrelle trouée, 1978.
Dieu, sa vie, son œuvre, 1980.
Discours de réception à l'Académie française de Marguerite Yourcenar et réponse de Jean d'Ormesson, 1981.
Discours de réception à l'Académie française de Michel Mohrt et réponse de Jean d'Ormesson, 1987.
Garçon de quoi écrire, entretiens avec François Sureau, 1989.
Histoire du Juif errant, 1990.
La Douane de mer, 1993.
Presque rien sur presque tout, 1996.
Casimir mène la grande vie, 1997.
Le Rapport Gabriel, 1999.
C'était bien, 2003.
Je dirai malgré tout que cette vie fut belle, 2016.
Guide des égarés, 2016.
Et moi, je vis toujours, 2018.

Bibliothèque de la Pléiade
Album Chateaubriand, 1988, épuisé.
Œuvres, tome 1, 2015.
Œuvres, tome 2, 2018.

(Suite en fin de volume)

Jean d'Ormesson
de l'Académie française

Un hosanna sans fin

Éditions Héloïse d'Ormesson

www.editions-heloisedormesson.com

ISBN 978-2-35087-478-4

Ils ne voient pas, ces fous,
la mort, la Parque ténébreuse,
qui vient les ensevelir.
Homère

Il n'y a que le temps de ma vie
qui me fait différent
de ce qui ne fut jamais.
Bossuet

Avertissement

En juin 2017, mon père était heureux. L'été approchait. Et avec lui les montagnes de framboises nappées de sucre glace, les bains de mer et les promenades pieds nus sur le sentier des douaniers à la pointe de la Mortella. Il venait d'achever *Et moi, je vis toujours* (paru début 2018, aux éditions Gallimard). Et surtout, venait de commencer son trente-huitième livre. Retrouver le plaisir d'écrire, en avoir la force à quatre-vingt-douze ans, l'émerveillait. L'idée de clore, en dépit de la maladie, la trilogie commencée par *Comme un chant d'espérance* et poursuivie par *Guide des égarés* l'enchantait.

Au fil des six mois suivants, de juin à décembre, le manuscrit allait, pour sa plus grande joie, se déployer de feuille en feuille, noircies au feutre bleu, d'une écriture affirmée, puis plus tremblante à l'automne finissant.

Mon père écrivait à l'ancienne, à la main. Il ne possédait ni ordinateur ni machine à écrire. Toutes les semaines, il confiait quelques pages à dactylographier. Et la semaine suivante, au retour du texte saisi, il le relisait scrupuleusement, en regard de l'original, s'assurant que son écriture avait été correctement déchiffrée, puis retouchait, peignait chaque ligne. Il renvoyait ensuite la mouture corrigée pour une nouvelle saisie. Et ainsi de suite, à chaque livraison, reprenait la relecture depuis la première phrase. Cent fois sur le métier il remettait l'ouvrage. De sorte que, de mois en mois, il polissait son texte, selon un processus de maturation lente, par couches successives. Il vérifiait ponctuation, typographie, dates, œuvres citées et pesait chaque mot avec un soin jaloux, tout en poursuivant parallèlement la rédaction du livre. Puis, une fois le point final apposé, laissait reposer, avant de reprendre des mois durant le tapuscrit, pour traquer l'ultime scorie, pour débusquer l'incohérence. Le dernier mot couché sur le papier annonçait un travail qui pouvait encore prendre des mois.

Le dimanche 3 décembre, mon père confia la fin d'*Un hosanna sans fin* à la jeune femme qui tapait son texte. Sa mort, le 5 décembre, lui interdira de relire les derniers feuillets, comme il avait coutume de le faire. Au-delà de cette absence de relecture, *Un hosanna sans fin* n'a pas bénéficié de ce passage au tamis méthodique, de cette vigilance à la virgule près, dont ont profité les trente-sept livres précédents.

Ce livre, mon père l'a donc achevé, mais pas fini. Ou fini, mais pas achevé.

Lumineux, épuré, il renferme quelques répétitions et imprécisions qu'il aurait, sans nul doute, rectifiées ou gommées. J'ai pris le parti d'éditer très exactement son texte, en l'état. Sans escamoter telle phrase au parfum d'inachèvement, sans chercher à clarifier un concept ébauché. M'interdisant toutes interventions. Cela n'aurait pas été juste. Il ne fallait rien truquer. Seulement expliquer les circonstances de la rédaction de ce texte posthume.

La saveur en est, selon moi, intacte, et ces rares imperfections n'entament en rien la clarté étonnante de cet hosanna sans fin, son testament.

Héloïse d'Ormesson

3)

1

Grâce à Dieu, je vais mourir. Comme tout le monde. Comme vous. Avant vous, sans doute : ma vie est déjà longue, j'approche du bout du chemin. Mais rien de plus capricieux que cette mort si certaine. Il n'est pas interdit à un lecteur ou à une lectrice en parfaite santé et beaucoup plus jeune que l'auteur de disparaître avant lui. L'histoire est imprévisible. Ce qu'il faut dire avec force dès le début de ce petit livre, c'est que personne n'est sûr de rien. Il n'y a que deux choses de sûres parmi tant de choses possibles et douteuses. La première : nous sommes nés. La seconde : nous mourrons. Inutile, si nous vivons, d'espérer échapper à la mort. Nous mourons parce que nous vivons. « J'entre dans la vie, nous dit Bossuet, avec la loi d'en sortir. »

1

GRÂCE À DIEU, je vais mourir. Comme tout le monde. Comme vous. Avant vous, sans doute : ma vie est déjà longue, j'approche du bout du chemin. Mais rien de plus capricieux que cette mort si certaine. Il n'est pas interdit à un lecteur ou à une lectrice en parfaite santé et beaucoup plus jeune que l'auteur de disparaître avant lui. L'histoire est imprévisible. Ce qu'il faut dire avec force dès le début de ce petit livre, c'est que personne n'est sûr de rien.

Il n'y a que deux choses de sûres parmi tant de choses possibles et douteuses. La première : nous sommes nés. La seconde : nous mourrons. Inutile, si nous vivons, d'espérer échapper à la mort. Nous mourons parce que nous vivons. « J'entre dans la vie, écrit Bossuet, avec la loi d'en sortir. »

2

NOUS MOURONS, c'est tout simple, parce que nous avons vécu. Mais pourquoi diable naissons-nous ? Notre arrivée dans ce monde est-elle vraiment nécessaire ? Est-elle même très utile ? Est-elle prévue de toute éternité ou relève-t-elle du hasard ? Il y a une loi qui nous contraint à mourir au terme de notre vie. Y a-t-il une loi, au début, qui nous contraindrait à vivre ?

Autant que toute mort, et peut-être plus encore, toute naissance est une énigme.

3

PERSONNE NE NOUS A DEMANDÉ, ni à vous, ni à moi, ni à aucun être vivant, si nous souhaitions passer quelque chose comme un long week-end sur une des huit planètes qui tournent autour de notre Soleil. Vous m'avouerez que c'est violent. Notre vie ne nous appartient pas. Nous ne l'avons ni voulue, ni choisie, ni même acceptée. Elle nous est donnée – ou plutôt prêtée – de force. Elle nous est fourguée en usufruit. Ou peut-être imposée.

Tout est réglé et décidé sans nous. Charmant. Nous ne sommes pour rien dans notre entrée sur la scène de la vie. Jusqu'à présent au moins, il suffisait à un homme et une femme de se livrer, c'est leur affaire, mais en tout cas à notre insu, à ces jeux que nous connaissons tous et que nous n'imaginons pas volontiers quand il s'agit de nos parents. Et puis, voilà, quelle drôle d'idée, on aurait pu s'en passer, nous sommes nés. C'est comme ça.

Nous sommes peut-être, en partie, responsables de notre vie. Il peut nous arriver d'être responsables, sinon de notre mort, du moins de la date de notre mort. Nous ne sommes jamais responsables de notre naissance. Comme l'ont déjà chanté sur tous les tons, à trois mille ans de distance, l'Ecclésiaste – « Vanité des vanités, tout est vanité!... » – et l'Œdipe de Sophocle – « Ne pas naître, voilà ce qui vaut mieux que tout, ou encore, venu au jour, retourner au plus vite d'où l'on vient... » – et Cioran – « Les enfants que je n'ai pas eus ne savent pas tout ce qu'ils me doivent » –, qui se désolent tous les trois d'être nés et qui répugnent tous les trois à fournir de nouvelles recrues à cette vie qu'ils n'aiment pas, ce que nous sommes d'abord, c'est des victimes. Les victimes d'un sort – vivre et mourir – que nous n'avons pas choisi et qui nous est imposé.

4

NAÎTRE AUJOURD'HUI est très différent de naître hier. Et naître demain sera plus différent encore. Au début du XIXe siècle, en France, un des pays alors les plus avancés, la durée de vie d'une femme est, en moyenne, de trente ans. Et la population de la planète n'atteint pas un milliard. Deux cents ans plus tard, tout le monde le sait, nous sommes bien plus nombreux, nous vivons beaucoup plus vieux et nous mourons moins souvent en naissant.

Nous sommes aujourd'hui sur cette planète insignifiante – et grâce à nous triomphante – entre sept et huit milliards. Il y a deux mille ans, aux débuts du christianisme, la population du globe s'élevait à deux cent cinquante millions d'individus. Quatre ou cinq cents ans plus tôt, à l'époque de Périclès, de Platon, de Sophocle, de Phidias, le chiffre n'atteignait que cent cinquante millions. Cent millions de moins. Sept milliards de moins que de nos jours.

Plus vous remontez dans le temps, plus le nombre des hommes diminue. Il tombe très vite au-dessous des cent millions et bientôt au-dessous du million. Il y a une période de notre histoire où nos ancêtres ne sont que quelques dizaines de millions ou même quelques milliers. Le premier milliard est atteint au XIXe. C'est à partir de là que la machine s'emballe et grimpe de six milliards en à peine plus d'un siècle. La science est passée par là. Elle n'a pas fini de faire parler d'elle et en bien et en mal.

5

VOUS VOILÀ NÉ. Pour mourir. En attendant, il faut bien vivre.

Vivre est une occupation de tous les instants. Une expérience du plus vif intérêt. Une aventure unique. Le plus réussi des romans. Souvent un emmerdement. Trop souvent une souffrance. Parfois, pourquoi pas ? une chance et une grâce. Toujours une surprise et un étonnement à qui il arrive de se changer en stupeur.

6

VIVRE A SES LIMITES. Contrairement à ce que soutenait, au lendemain de la Seconde Guerre, un philosophe du nom de Sartre, qui a connu son heure de gloire mais est aujourd'hui bien oublié, nous ne sommes pas « libres de part en part ». Nous ne sommes ni des dieux ni même des demi-dieux. Nous sommes des primates qui ont reçu – par quel miracle ?... – un don qui laisse pantois : ils pensent.

Nous sommes très loin d'être tout-puissants. Nous ne pouvons pas être un autre, remonter le temps, voler dans les airs à la façon d'Athéna ou d'Hermès dans l'*Iliade* et l'*Odyssée*, refuser d'être nés, éviter de mourir. Mais ce qu'il y a d'excitant dans une vie, si brève, si terne soit-elle, c'est que presque tout le reste est permis aux vivants.

7

Vous pouvez devenir un saint, un héros, une crapule, un lâche. Les exemples ne manquent pas. Vous pouvez gagner le gros lot – il y a bien quelqu'un pour le gagner – à la loterie de Babylone, découvrir la distance de la Terre à la Lune ou la gravitation universelle, grimper sur l'Everest, descendre au fond des mers, inventer la roue, l'écriture ou un grille-pain, attraper le cancer, le sida, les oreillons, sortir du Plaza ou du Pierre, à New York, les mains dans les poches, rater une marche et vous tuer, être renversé par le 43, à Paris, du côté des Invalides, et finir à Cochin ou à Lariboisière, s'il y a encore de la place. Vous pouvez – ça s'est vu – faire la révolution, bouleverser les mathématiques, écrire les *Mémoires d'outre-tombe* ou *À la recherche du temps perdu*, conquérir l'Asie jusqu'à l'Indus, édifier le Taj Mahal ou le temple d'Abou Simbel, peindre *Le Songe de Constantin*. Oui, vous le pouvez.

Ah! bien sûr, c'est douteux. Parce que rien n'est sûr, rien n'est nécessaire, tout est contingent dans le monde où nous vivons et où règne le temps. Tout y est accidentel, passager, inutile, condamné d'avance par la seule réalité, la seule nécessité à qui rien ni personne n'échappe : la fin, l'oubli, la disparition, la mort.

8

N'ALLEZ SURTOUT PAS IMAGINER qu'emportés par le temps, menacés par la mort, rongés par l'incertitude, ce monde et cette vie soient un enfer sur terre. Très loin de là : ils sont un rêve et un délice.

Nous sommes quelques-uns, de très grands et moi-même, à les avoir chantés. « *Wie es auch sei*, écrit Goethe, *das Leben ist gut.* » Quelle qu'elle soit, la vie est belle.

Si longue, si cruelle, si misérable qu'elle puisse sembler, elle est toujours trop courte. Nous passons beaucoup de notre temps à nous plaindre, nous gémissons sur notre sort, il nous arrive plus d'une fois de détester et de maudire l'existence et – sauf exceptions dues à l'amour, au devoir, à la passion, à l'idée que nous nous faisons de nous-mêmes – nous y sommes attachés plus qu'à personne et à rien.

Dans le bonheur, dans le plaisir, dans l'amour, la vie est une bénédiction. Même sombre, même désespérée, elle est une malédiction dont il est dur et le plus souvent presque impossible de se séparer. Ce que nous quittons, nous le savons, ou nous croyons le savoir. Mais ce qui nous attend, nous l'ignorons. L'angoisse s'empare de nous parce que, tôt ou tard, nous entrerons dans l'inconnu.

9

DEPUIS QUE LES HOMMES sont hommes, ils se demandent ce qui les attend après la mort. C'est peut-être même cette interrogation qui distingue les êtres humains du reste du monde vivant. Du *Rig-Veda* des hindous au *Gilgamesh* des Mésopotamiens, du *Livre des morts* des Égyptiens à Platon, à Plotin, à Thomas d'Aquin, du Coran et de Bossuet à Karl Marx, à Engels, à Feuerbach, et des danses macabres de nos églises et de nos fresques à Péguy et à Claudel, l'idée de la mort, son spectre, sa représentation ont suscité au cours des millénaires d'innombrables travaux où se mêlent crainte et espérance, recherche de la vérité et intolérance, imagination et raison.

Tout peut être envisagé pour combattre l'angoisse engendrée par notre vie, par notre mort, par notre destin et pour répondre à des questions souvent à peine formulées. Il n'est pas impossible que, loin de présenter ce caractère de réalité solide et durable que nous lui prêtons volontiers, le monde et la vie ne soient qu'une illusion, un long songe collectif, continu et plus ou moins cohérent. Nous faisons tous, la nuit, des rêves où ne manquent ni le doute, ni l'ironie, ni les sentiments les plus sophistiqués, ni les passions les plus violentes, ni surtout une formidable impression de réalité. Il nous arrive même de rêver que nous nous réveillons de notre rêve pour entrer dans une réalité apparente qui est encore un rêve. Peut-être la vie n'est-elle que le dernier état d'une série d'illusions successives qui s'enchaîneraient les unes aux autres ? La mort serait alors une espèce de réveil, définitif cette fois, chargé de mettre fin à une vie qui ne serait qu'un songe. Peut-être, au contraire, ce monde et cette vie terminée par la mort constituent-ils la seule réalité ? Toutes les opinions, toutes les théories les plus contradictoires ont été avancées et défendues.

Pour dire très vite des choses très obscures, la mort nous fait entrer, selon nos convictions, soit dans le néant, soit dans un nouvel enchaînement d'aventures et d'illusions, soit dans un séjour d'harmonie, de paix, d'éternité bien difficile à imaginer pour des créatures plongées dans le temps.

10

LA PLUS SIMPLE DE CES HYPOTHÈSES est évidemment celle qui nous renvoie au néant. Nous sortons de la vie pour revenir à un état qui était le nôtre de toute éternité et dont nous sommes sortis pour entrer dans la vie par la porte étroite du hasard de la naissance. Dans cet état sans couleurs et sans formes d'avant la naissance et d'après la mort règnent le vide, l'abolition du temps, le rien, un silence éternel, l'absence de toutes ces images qui nous ont tant occupés tout au long de la vie. Ni avant notre naissance, ni pendant une vie qui est notre seul trésor, ni après la mort, aucune réalité, aucune espérance extérieure à cette seule vie.

Où étions-nous avant de naître ? Rien de plus simple : nulle part. Où serons-nous après notre mort ? Rien de plus clair : là où, dans le silence et dans la paix de l'éternité, nous étions avant de naître. C'est-à-dire, à nouveau, nulle part.

11

CINQ CENTS ANS AVANT LE CHRIST, un peu plus d'un millénaire avant Mahomet, l'idée hindouiste d'une migration des âmes dans des corps successifs est reprise et défendue avec force, dans le nord des Indes, non loin de l'Himalaya, par une des grandes figures de l'histoire des hommes, un membre de la tribu des Çakya, Siddhartha Gautama, plus souvent appelé le Bouddha.

Connue sous le nom un peu vague et passe-partout de métempsycose, la thèse de la migration des âmes dans des corps différents – il y a moins d'âmes que de corps – se retrouve ici ou là, en Asie et dans le monde grec, chez Pythagore, par exemple. Mais c'est dans l'hindouisme, puis dans le bouddhisme, qu'elle prend sa forme la plus parfaite.

La thèse de la migration des âmes finit, elle aussi, comme pour les partisans du néant mais différemment, par aboutir à une constatation et à une volonté d'effacement. Ce monde est une illusion cruelle à laquelle seuls l'oubli de soi-même, la compassion, le retrait au bénéfice des autres peuvent apporter une réponse et une solution. À la fin de chaque vie, l'âme passe dans un nouveau corps – d'être humain ou d'animal, éléphant ou moucheron – avec son lot de bienfaits et de bassesses. C'est ce fardeau voyageur que les hindouistes appellent le *karma*. D'incarnation en incarnation, l'âme s'abaisse et s'enfonce ou s'élève et se purifie jusqu'à une extinction finale – le *nirvāna* – qui est le but suprême.

12

PLUS FAMILIÈRE PEUT-ÊTRE pour des esprits occidentaux, plus optimiste et consolatrice, mais aussi peu vraisemblable aux yeux de ses adversaires, la dernière hypothèse, liée à un monothéisme qui apparaît assez tard, est celle d'un autre monde, souvent appelé enfer ou paradis, où les morts, entrés enfin dans la beauté, dans la justice et dans la vérité, recevraient le salaire de leur stage ici-bas et de leur comportement dans le dédale de ce songe précaire, éphémère et toujours menacé que nous avons l'audace d'appeler réalité.

Opposés sur bien des points, chrétiens – catholiques, protestants, orthodoxes... – et musulmans – sunnites et chiites – partagent une même conviction : meilleure et plus belle, il y a une autre réalité que celle où nous vivons.

13

La vérité est que nous ne savons rien de notre destin dans ce monde et dans cette vie qui, songe ou réalité, nous paraissent l'évidence même. Il faut toujours se méfier de la trompeuse évidence. Nous ne savons ni d'où nous venons, ni pourquoi nous sommes là, ni surtout ce que nous allons devenir dans un avenir plus ou moins proche, mais en tout cas inéluctable.

Il n'y a pas d'autre question que celle-là. Nous multiplions les occasions de l'oublier, de la nier, de la camoufler sous des torrents d'inutilité. Mais, de siècle en siècle, génération après génération, elle revient avec obstination.

14

La mort n'est pas seulement le but de toute vie. Sous forme d'angoisse et d'ignorance, elle est aussi mêlée à toutes nos manifestations sur cette planète improbable. Toujours contournée avec soin, elle est au cœur de l'art, de la science, de toute littérature, de toute philosophie.

Quand Socrate affirme qu'il ne sait rien, il se moque de nous. Socrate sait tout ce qu'il est possible de savoir de son temps. Il connaît Héraclite et Parménide, qui sont les penseurs presque officiels, les intellectuels de cette époque. Il n'ignore rien de l'histoire d'Athènes et de la Grèce. Il ne sous-estime pas les dangers qui menacent sa ville. Comme Platon et Aristote un peu plus tard, il est tout à fait au courant de la politique de son temps, qui finira d'ailleurs par avoir sa peau. Ce qu'il ignore, comme tout le monde, c'est son destin. Il croit que l'âme ne meurt pas avec le corps – mais, franchement, il n'en sait rien.

On pourrait en dire autant de Montaigne et de son fameux « Que sais-je? ». Il sait tout. De son époque qu'il passe au crible, de l'histoire des hommes, des Grecs, des Romains qu'il ne cesse de citer. Ce qu'il ne sait pas, c'est l'essentiel: ce qu'il est venu faire dans ce monde et ce qu'il deviendra en en sortant.

Dans son *Sermon sur la mort*, Bossuet dénonce avec véhémence tout ce qu'il y a de volontaire dans ce silence sur la mort dont font preuve les vivants: « On n'entend dans les funérailles que des cris d'étonnement de ce que ce mortel est mort. »

Le génie de Pascal élève encore le débat. Il est le premier à constater et à enseigner que nous inventons toutes les sortes possibles de divertissement, des plus basses aux plus hautes – l'amour, le savoir, l'art, la beauté, le pouvoir, le travail, l'argent, le sport, les jeux, les vertiges et les risques de toute espèce… – pour ne surtout pas penser au seul problème qui vaille : celui de la mort et de notre destin dans l'éternité.

15

CE QU'IL Y A DE PLUS FRAPPANT dans l'affaire, c'est que, sur ce seul point, personne n'en sait plus que les autres. Imbéciles et génies, puissants et déshérités, savants et ignorants sont enfermés dans la même impasse.

Tout oppose ceux qui ont tout et ceux qui n'ont rien, ceux qui savent et ceux qui ne savent pas. À une seule exception près : ni les uns, qui savent et comprennent tout, ni les autres, qui ne savent et ne comprennent rien, n'ont la moindre idée de ce qui les attend pour toujours – pour toujours !... ou du moins pour toujours hors du temps... – dans vingt ans, dans dix ans, la semaine prochaine peut-être, et peut-être demain. Nous passons notre vie un bandeau sur les yeux. Nous sommes abandonnés. Et nous ne savons ni pourquoi ni par qui – et peut-être par personne.

16

DANS LE DÉSARROI qui est le nôtre depuis des millénaires, il y a pourtant désormais quelque chose de neuf, de nature à nous réconforter et à nous apporter consolation et espérance : la science.

Née en Grèce, comme chacun sait, après des tentatives et des balbutiements en Asie, et notamment en Mésopotamie, la science a connu depuis trois siècles un développement prodigieux. Et depuis cent ou cent vingt ans, héritière des conquérants, des grands esprits, des géants de l'art, sa puissance domine notre temps.

Sur le monde autour de nous, sur notre passé le plus lointain, sur nous-mêmes, sur la nature des choses surtout, nous en savons de plus en plus.

Appuyée sur ce langage chiffré appelé mathématique, une fonction de la pensée, c'est-à-dire de notre cerveau, a permis à la science de fournir des réponses à une masse impressionnante de questions. Qu'il s'agisse de l'histoire et de la structure de l'univers ou du fonctionnement du corps humain, un enfant de sept ans en sait plus aujourd'hui que Platon ou Aristote, que Spinoza, que Hegel.

La science règne. Elle s'impose. Si longtemps illustrée, de Thucydide et Tacite à Gibbon et Michelet, par de grands artistes, l'histoire est devenue une science. Encore moquée par Molière, la médecine est devenue une science. La biologie, la sociologie, la psychologie, tant d'autres disciplines sont devenues, ou aspirent à devenir, des sciences. Ne cessant de changer elle-même, la science a changé le monde.

17

Le feu, l'agriculture, la roue, l'écriture, le monothéisme, l'imprimerie : l'histoire a toujours changé. Mais elle changeait lentement. L'avenir était connu d'avance : familier, un peu ennuyeux, aussi dur que le présent, souvent désespérant et pourtant accepté. Demain ressemblait à hier.

Autour des deux guerres mondiales, en revanche, et dans la seconde moitié du xxe siècle, les choses, le savoir, les mœurs, les croyances ont changé si vite et si radicalement que les boussoles sont devenues folles et que beaucoup de têtes ont tourné. Succédant aux philosophes, aux peintres, aux théologiens, aux romanciers, des mathématiciens, des physiciens, des astronomes de génie, parmi lesquels Planck, Einstein, Gödel, Hubble, Bohr, Heisenberg, Broglie et tant d'autres, ont puissamment contribué à bouleverser l'image du monde et, du même coup, les esprits. Aussi riches de conséquences que les révolutions politiques ou sociales, les révolutions intellectuelles et techniques successives – le transformisme, le train, l'électricité, l'automobile, l'avion, la radio, la télévision, la relativité, l'indéterminisme, le nucléaire, l'électronique, le numérique et cette fameuse révolution quantique qui faisait dire à Niels Bohr : « Si vous croyez avoir compris la pensée quantique, c'est que vous ne l'avez pas comprise », ont modifié de fond en comble nos façons de penser.

18

LA SCIENCE EST LA CLÉ du monde nouveau. En même temps qu'elle se compliquait, elle nous cernait de plus en plus près. Longtemps abstraite, lointaine, indifférente au grand nombre, elle s'est changée, pour tous, presque du jour au lendemain, en une espérance mêlée d'effroi. Notre vie de chaque jour est envahie par la technique, fille de la science. Ce qu'il y a eu de plus décisif tant dans l'histoire personnelle de chacun d'entre nous que dans l'histoire du monde depuis une centaine d'années, ce sont les progrès de la science. Ils nous donnent enfin l'espérance de pouvoir tout comprendre.

19

L'AFFAIRE COMMENCE, il y a un peu plus de cent cinquante ans, avec Darwin.

S'écartant des livres saints, Charles Darwin, qui, dans sa jeunesse, voulait devenir pasteur, ne découvre pas seulement, au cours d'un célèbre voyage autour du monde, que tous les êtres vivants ont une seule et même origine, il révèle aussi un secret jusqu'alors bien gardé : le monde est beaucoup plus vieux que ne l'enseigne la Bible et que ne le croyaient les savants.

Pendant des siècles et des siècles, pendant des millénaires, les hommes n'ont rien su du long passé du monde où ils habitaient. Héraclite et Parménide, Platon et Aristote, saint Augustin, saint Thomas,

Descartes, Spinoza, Hegel, le jeune Marx ne se font aucune idée de l'âge de l'univers auquel ils appartiennent et qu'ils essaient de déchiffrer. Lecteur des textes sacrés, un grand esprit comme Bossuet croit encore que le monde n'a guère plus de six mille ans. Au XVIIIe, Montesquieu, Voltaire, Buffon commencent à nourrir des doutes. Des chiffres se mettent à courir : soixante-dix mille, quatre-vingt mille ans ?... C'est Darwin qui frappe le grand coup : il recule avec audace, au grand effroi de sa femme, Emma, qui comprend aussitôt les conséquences des travaux de son mari, l'âge de l'univers et de la vie.

20

Darwin ouvre avec un génie d'une simplicité effrayante le grand bal de la science. Mais le chef-d'œuvre de la pensée des hommes et de la révolution scientifique, aussi radicale que la révolution cognitive il y a quelques dizaines de milliers d'années, est à chercher du côté de la physique, de la mathématique et de l'astronomie, qui prennent, au début du siècle suivant, le relais de la biologie, destinée à repasser au premier plan dans les années à venir.

La conjonction du calcul théorique et de l'observation du ciel grâce à des télescopes de plus en plus perfectionnés permet aux hommes, qui ne remontent qu'à quelques centaines de milliers d'années, à l'extrême rigueur à quelques millions, de reconstituer les treize ou quatorze milliards d'années de l'univers sans les hommes. Nous connaissons aujourd'hui, sinon année par année, du moins millénaire par millénaire, tout le passé de cet univers si longtemps aveugle et muet. Il y a de quoi perdre la tête et ouvrir la voie à toutes les imaginations.

21

INUTILE D'AVOIR RECOURS à la science-fiction. La réalité suffit. Ce que nous apprend la science est le plus beau des romans. Et le plus stupéfiant. Et d'ailleurs le seul, puisqu'il n'y a rien d'autre que l'histoire de l'univers et des hommes. Rappelons en quelques mots aussi rapides que possible l'invraisemblable parcours qui va mener jusqu'à nous.

D'abord, l'explosion primitive avec sa formidable énergie qui crée l'espace et le temps. Un point minuscule, invisible à l'œil nu, bien plus petit qu'un grain de sable, une poussière, un atome. L'*alpha*. Le début de tout. Enfin... le début de tout... Peut-être y avait-il autre chose, de radicalement inconnu

– une équation mathématique ? d'autres univers ? la nécessité ? un Dieu ? peut-être tout cela mêlé ou peut-être encore autre chose d'effrayant et d'indicible –, « avant » notre vieux Big Bang, « avant » notre temps, derrière le mur de Planck ?

Pour nous, en tout cas, tout commence il y a entre treize et quatorze milliards d'années. Une cloche pourrait sonner. Un coup de pistolet pourrait être tiré. C'est le clap de début.

22

LE DÉCOR SE MET EN PLACE. Il est grandiose et sinistre. Il est vide. Il s'y passe, bien sûr, d'incroyables aventures. Elles sont neuves, originales, sans aucun précédent, inouïes. Sur ces milliards d'années – mais y avait-il des années puisqu'il n'y avait ni Terre, ni Lune, ni Soleil ? – on pourrait imaginer – on a imaginé – un film glacial de beauté et d'horreur. Personne pour voir ce théâtre de titans sans titans. À quoi sert-il ? À rien. Un gâchis. On ne donnerait pas lourd de ceux – dieux tout-puissants, mauvais génies, hasard, nécessité... – qui ont inventé ou laissé se faire ce bastringue hors de prix et parfaitement inutile.

23

ON FINIT PAR SE DEMANDER si l'univers qui va du Big Bang à l'apparition de la vie a vraiment une existence. Oui, sans doute : il y a de l'énergie, des forces, des particules, plus tard des étoiles et des galaxies, plus tard encore un système solaire avec des planètes, dont la nôtre. Mais il n'y a personne, ne disons même pas pour le comprendre et l'aimer, mais pour l'habiter, le voir, l'entendre. Il existe, bien sûr, mais tout se passe comme s'il n'existait pas. Il n'y a ni formes, ni couleurs, ni parfums. Ni beauté, ni vérité.

Sans doute n'est-il pas permis de parler d'attente : personne n'attend rien de personne ni de rien. Mais enfin l'univers déjà créé n'est présent que sur le mode de l'absence. Il faut attendre la vie pour qu'un semblant de sens s'introduise dans ce semblant de présence.

24

DANS CET UNIVERS muet et vide se glisse soudain quelque chose de nouveau, d'aussi incompréhensible, à vrai dire, que l'origine de l'univers, et qui va pourtant se confondre avec nous et avec chacun de nous dans la banalité quotidienne.

Un peu moins ou un peu plus d'une dizaine de milliards d'années – un doigt de patience, voulez-vous ? – après le coup de tonnerre du Big Bang, annonciateur de tous les chants de triomphe, des chœurs de la *Neuvième Symphonie*, des trompettes d'*Aïda*, surgit, venu de nulle part, dans un coin minuscule du grand tout qui commence à prospérer et à s'organiser, un phénomène qui n'a encore aucun nom – et à peine une existence.

Pas de trompettes pour le fêter. Pas de feu d'artifice. Pas de barricade en forme de mur de Planck. Pas de Big Bang. Pas de première de gala. Une discrétion exquise. Quelque chose de bouleversant, et pourtant de modeste. Assez comme il faut. Peut-être presque un peu province. On ne fait pas de bruit. On se cache plutôt. Ça bouge à peine. Mais ça bouge. Un grand avenir se prépare en silence. Vous voyez l'affaire ? C'est la vie.

25

C'EST QUOI, LA VIE ? Mais vous le savez bien, puisque vous vivez : c'est la mort.

Le monde, à l'origine, était fait pour durer. Oh ! pas pour toujours. Le temps régnait déjà. Il s'acharnait déjà à tout détruire. C'était Shiva. C'était Kali. Mais enfin, l'univers était là pour un bon bout de temps. La vie, elle, dès sa jeunesse, dès ses débuts, est faite pour passer. Elle naît, elle meurt, elle renaît ailleurs.

Avec l'arrivée en tapinois de la vie dans ce théâtre vide et apparemment inutile du monde se développent de petites choses très étranges dont on se demande d'où elles viennent : la sensibilité, la souffrance, cette catégorie stupéfiante que nous appelons l'individu, ce début d'autonomie dans l'extrême rigueur du tout qui deviendra plus tard la liberté – et, bien sûr, la mort.

26

On voit bien la différence entre les débuts du tout et la naissance de la vie. Elle crève les yeux. Il y a déjà quelque chose quand la vie se met en marche, alors que le Big Bang est une première absolue. Mais il y a aussi des ressemblances.

Le mystère de l'origine de la vie est aussi profond que le mystère de l'origine de l'univers. Personne ne sait rien de l'origine de la vie, de ses motifs, des mécanismes de son apparition. Il n'est pas impossible, mais il n'est pas certain, qu'elle soit venue d'ailleurs sur notre Terre. Il y a dans l'affaire des conditions physiques, des réactions chimiques, une nécessité rigoureuse et des hasards heureux.

Dans l'éclosion de la vie comme dans l'origine de l'univers, peut-être savons nous à peu près ce qui se passe, mais nous ignorons pourquoi ce qui se passe se passe. Pourquoi y a-t-il quelque chose au lieu de rien ? Pourquoi y a-t-il, après la naissance de l'univers, une apparition de la vie ?

Et nous ne sommes pas au bout de nos émerveillements.

27

AVANT L'HOMME, les êtres vivants ignorent deux choses parmi beaucoup d'autres : ils ignorent le mal et ils ignorent qu'ils vont mourir. Ils meurent, bien sûr, mais ils ne savent pas qu'ils vont mourir.

Viendra un temps où un petit nombre de vivants comprendront qu'ils sont appelés à mourir. Ce seront les hommes. Et, si longtemps inexistant, absent de ce monde avant les hommes, le mal prendra toute sa place avec le triomphe de la pensée.

28

TREIZE MILLIARDS D'ANNÉES après l'explosion originelle, la pensée crée le monde une deuxième fois.

La vie introduit l'inattendu, l'autonomie, la souffrance et la mort dans un coin minuscule d'un univers prodigieux et inerte qui va lui servir de cadre. Voilà que la pensée insuffle l'élévation, la beauté, la vérité et le mal dans une vie encore à ras de terre.

On dirait que le hasard et la nécessité poursuivent leur chemin triomphal et organisateur. On dirait que Dieu, qui a déjà fait beaucoup en inventant l'univers et la vie, se prépare à la retraite et choisit ses successeurs.

Difficile de ne pas se laisser aller à des rêveries coupables sur l'histoire, sur l'ordre des choses et sur la puissance de la pensée. Ce qui va marquer les hommes en train de se hisser au-dessus de ces primates qui s'étaient hissés au-dessus de la matière, c'est l'orgueil.

29

Un nombre restreint de primates plus doués que les autres bouleversent sur une petite planète excentrée l'univers entier et la vie jusqu'à se substituer à Dieu ou au hasard et à la nécessité.

L'affaire, évidemment, ne se fait pas du jour au lendemain. La pensée ne débarque pas, boum ! sur la Terre tout à coup. On pourrait sans doute dater le Big Bang et les débuts de la vie. Bien malin qui situera dans le temps les premières paroles échangées. Plus malin encore qui fournira la date du premier souvenir, du premier projet, de la première déclaration d'amour. Il est permis d'imaginer un lent processus de mûrissement qui s'étendrait sur des siècles et sur des millénaires. Peut-être les hommes ont-ils chanté et sifflé avant de parler ? Peut-être ont-ils ri ou souri avant de s'exprimer ? Devenir un homme ou une femme quand vous êtes un primate est une tâche longue et semée d'embûches.

30

On a le droit de se demander comment se faisait chez les primates en train de se changer en êtres humains le choix des élus et des élues. Selon quels critères ? En vertu de quels principes ? Il ne suffisait plus de courir plus vite que les autres, de grimper aux arbres avec plus d'habileté, d'être le plus fort au combat. C'était plutôt l'inverse : mieux valait rentrer en soi-même, hésiter à agir, et apprendre non seulement à marcher sur ses deux jambes et la tête haute, mais à réfléchir, à retarder ses décisions, à renoncer à la violence au bénéfice de l'attente et de la patience. À la limite, ce sont les plus faibles, les rêveurs, les demeurés, les poètes qui se sont mis à penser et qui l'ont emporté sur les plus rapides et les plus forts.

Et le plus étrange n'est pas de voir des primates devenir bientôt des hommes, mais de constater que la plupart des primates sont restés des primates. Où est la justice ? Chez les primates, en tout cas, ne règne pas l'égalité. Aux uns, la puissance et la gloire de la pensée ; aux autres, la modeste condition de la vie animale.

31

L'ESSENTIEL EST ENCORE AILLEURS. La pensée transforme l'univers. Elle le change en autre chose. Elle ne cesse jamais de lui apporter du nouveau. Elle y introduit la surprise et l'attente. Elle le colore. Elle l'anime. Elle en fait un théâtre où chacun joue son rôle, une œuvre d'art, un trésor. Elle suffit à l'enchanter. La pensée des hommes est l'enchantement du monde.

Le monde ne devient beau – mais qu'est-ce que la beauté ?... – qu'avec et par les hommes et les femmes. Les formes, les couleurs, les fleuves entre les collines, les arbres et les fruits, les montagnes au loin entrent enfin dans l'histoire.

Bientôt – mais quand? – surgit un nouveau miracle à la source de travaux innombrables et dont il faudrait parler longuement : le langage. Inutile de le répéter une fois de plus : nous ne sommes pas des savants, nous ne sommes que des benêts frappés d'émerveillement et notre seule tâche dans ces pages est de brûler les étapes et d'aller le plus vite possible de stupeur en stupeur.

Associée à la parole, une catégorie invraisemblable, rigoureuse et changeante, fait son entrée sur la scène : la vérité. Elle est la rigueur même et elle ne cesse de varier dans l'espace et dans le temps. Elle règne sur le monde et sur son savoir et la couronne passe son temps à lui tomber de la tête.

Tous les sentiments, toutes les passions, toutes les vertus apparaissent successivement : le courage, la compassion, la bonté, la justice, la curiosité, l'ambition. Aucune passion, aucune vertu n'était attachée à la vie, aucune n'existait avant la révolution de la pensée.

Quelque chose de plus inouï encore et que la vie ignorait aussi se lève en silence sur le monde pour l'envahir et s'y combattre : le bien et le mal. Il y a du bien et il y a du mal. Nous recherchons le bien et nous fuyons le mal. C'est nous qui décidons – et, souvent, nous nous trompons. Quelque chose de divin et de diabolique s'est installé dans le monde en même temps que la pensée.

Au-delà du bien et du mal, liée étroitement à la mort, une forme aussi puissante, et plus puissante, que toutes les forces physiques et métaphysiques à l'œuvre depuis si longtemps s'empare de nous et nous emporte : l'amour.

L'algue, la méduse, la vie ne faisaient entrer dans l'histoire – et c'était déjà beaucoup – que l'individu, une forme primitive d'initiative, la souffrance et la mort. Avec le premier rire, le premier projet, le premier étonnement, la première déclaration d'amour s'annoncent clairement, au loin, Homère, Platon, Dante, Titien, Shakespeare et Cervantès, Mozart, Goethe, Hugo, Einstein, Picasso et toute la suite encore à venir. Il n'y a plus qu'à attendre. Dans l'espérance et dans l'angoisse, l'homme, par la pensée, s'est rapproché de Dieu – ou de l'idée qu'il s'en fait.

32

VOILÀ. VOUS SOUVENEZ-VOUS de notre clap de début il y a quatorze milliards d'années? Quelle carrière! Triés sur le volet, un petit nombre de primates ont été reçus – personne, refrain, ne sait quand ni comment – au concours d'entrée de la pensée créatrice d'où sortiront tant de merveilles: des héros et des saints, des traîtres, des assassins et des beautés célèbres; des tragédies et des romans, des temples, des symphonies, des aquarelles et des calembours; des théories de l'univers et de grandes religions, détentrices chacune d'une vérité différente.

C'est la pensée de ces primates hissés par miracle à la dignité de créatures conscientes et responsables qui permet l'éclosion de tout ce qui fait le charme et la grandeur du monde où nous vivons : le passé et l'avenir, l'histoire, le souvenir et l'attente, l'espérance et l'angoisse, la gaieté et la tristesse, la poésie, le désespoir et tout le reste.

C'est la pensée de ces primates qui éclaire le monde d'une lumière de matin. En une seconde création qui double et achève la première, c'est elle qui donne enfin un sens, ou quelque chose comme un sens, à un monde qui, pendant des milliards d'années, en était dépourvu.

33

SOUMISE À TOUTES LES LOIS de la physique, de la chimie et de la mathématique, pur fruit du cerveau et d'une matière changée soudain en esprit, mystère aussi insondable que le temps, l'histoire, la vie ou l'univers lui-même, la pensée de ces créatures humaines, qui correspondent bizarrement entre elles et avec le monde autour d'elles, semble achever le cycle romanesque en trois volumes qui commence par le Big Bang, se poursuit avec la vie et se termine en beauté, dans le troisième et dernier tome, par le triomphe des hommes et de leur génie.

34

Cette troisième étape de notre fameuse réalité est-elle vraiment la dernière ? C'est au moins douteux. Pourquoi l'histoire et ses changements à l'œuvre depuis l'origine s'arrêteraient-ils sur nous ? Si belle, si puissante, la pensée des hommes n'est pas nécessairement le sommet, l'apogée, le dernier mot de l'histoire de l'univers. Elle a de bonnes chances de passer comme le reste – et les hommes avec elle.

Les dinosaures aussi étaient très puissants. Ils ont dominé le monde pendant des millénaires et des millénaires – et ils ont disparu. Parce que les choses vont de plus en plus vite et que l'histoire s'accélère, il n'est même pas sûr que les hommes et leur pensée durent autant que les dinosaures. En tant qu'individus, ils meurent et disparaissent chacun à son tour. Tôt ou tard, d'une façon ou d'une autre, ils mourront et disparaîtront aussi en tant qu'espèce.

35

À LA QUESTION :

– Mais qu'y aura-t-il après la pensée et les hommes ?

La réponse est assez simple :

– Autre chose.

36

L'HISTOIRE NE SE CONTENTE PAS de regarder en arrière. Avec ses prophètes, avec les chrétiens, avec les marxistes, avec toutes les sortes de futurologues, il lui arrive de regarder en avant. Dans les livres, dans les journaux, elle aime prévoir. Elle brûle de prédire. En dépit de tous les risques que comporte cet exercice. J'ai souvent cité une formule de Hegel : « La première catégorie de la conscience historique, ce n'est pas le souvenir. C'est l'annonce, l'attente, la promesse. »

L'histoire d'aujourd'hui voit déjà percer dans un avenir plus ou moins proche toutes les séductions de l'intelligence artificielle et de ce transhumanisme désormais à l'ordre du jour.

Ce qui, pour le meilleur et pour le pire, dominera cette époque future encore plus que la nôtre, c'est la science. Nous fondions tout à l'heure, il y a quelques pages, nos espérances sur la science. Elle nous a beaucoup appris sur notre passé. Pourra-t-elle, un jour, sur notre avenir le plus lointain, sur notre destin après la mort, nous en apprendre un peu plus ?

37

LA RÉPONSE EST :

– Non.

38

Il faut le redire avec force : sur notre univers et son histoire, sur notre corps, sur nos mécanismes les plus subtils, tout ce que nous savons avec certitude, c'est la science qui nous l'apprend. Elle règne sur notre cerveau, sur notre mémoire, et même sur notre pensée. Il est plus que probable que tout ce qui touche à notre vie de chaque jour, à notre enveloppe physique, à notre santé, à notre reproduction, aux modalités de notre arrivée dans le temps, au hasard, aux jeux – la fameuse compétition, aux échecs ou au go, entre machine et homme –, sera bouleversé dès demain par la science. Il n'est pas impossible qu'elle finisse, un beau jour, par comprendre et expliquer les sentiments, les passions, mon Dieu ! jusqu'à l'amour lui-même. Ne nous faisons pas d'illusions : rien ne l'arrêtera. Tout ce que la science peut faire, elle le fera.

Mais pour tout ce qui nous importe le plus, plus peut-être que l'amour, et ce n'est pas peu dire, en un mot sur ce qui se passe après la mort et sur notre destin d'éternité, la science, ailleurs si puissante, se révèle impuissante.

39

La science et l'histoire travaillent dans le temps déjà écoulé ou en train de s'écouler. Elles savent tout ou presque tout dans le passé et le présent. Elles annoncent l'avenir proche. L'avenir lointain leur échappe.

Leur échappe encore bien plus tout ce qui est hors du temps. Ni la science ni l'histoire ne nous diront jamais rien de ce qu'il y avait avant le début ni de ce qu'il y aura après la fin. En dépit de leurs progrès, tout ce qui se situe avant le mur de Planck et après la mort de chacun de nous leur est à jamais interdit.

40

NOUS VOILÀ AU ROUET, nous voilà revenus à notre point de départ. Nous devons beaucoup à la science, qui nous a tant appris. Mais la science elle-même ne peut pas péter plus haut que son cul. Très capable d'apaiser notre curiosité, elle est incapable d'apaiser notre angoisse.

Limitée étroitement à l'espace et au temps, elle ne nous est d'aucun secours pour répondre aux questions qu'enfermés entre nos deux murs également infranchissables, l'un au début de toute chose, l'autre à la fin de notre vie, nous nous posons d'un côté sur nos origines, et de l'autre sur nos avenirs.

Il nous reste nos yeux pour pleurer et cette incertitude, désormais savante mais toujours aussi radicale, qui nous ronge le cœur.

41

COURAGE. N'ABANDONNONS PAS tout de suite. Essayons encore. Recommençons. Pour comprendre cet univers dont nous savons presque tout sauf l'essentiel, pour être en paix avec nous, pauvres orphelins, dont nous ne savons presque rien, y a-t-il autre chose que la science ?

42

L'ENTREPRISE SEMBLE désespérée. Le seul savoir qui nous est accordé, celui qui est au-dessus de toute contestation, c'est à la science que nous le devons. Nous savons depuis Archimède, et personne ne le conteste, que le rapport de la circonférence d'un cercle à son diamètre vaut $\pi = 3{,}1416$, nous savons que la distance moyenne de la Terre au Soleil est d'un peu moins de cent cinquante millions de kilomètres, nous savons que, dans un triangle rectangle, le carré de l'hypoténuse est égal à la somme des carrés des deux autres côtés. Cette vérité-là est inscrite dans l'éternité. Et grâce au génie des successeurs d'Archimède, le monde, de notre vivant, ne relève plus que de la science. Voilà que, dans la recherche de notre destin, elle nous claque entre les doigts. Que faire ?

43

AVANT LA SCIENCE, un autre système de pensée a longtemps régné sur les hommes : la religion. Sous forme de magie, de puissances célestes, de déesses et de dieux. Sous la forme, déjà tardive – trois ou quatre millénaires avant nous, deux millénaires après l'invention de l'écriture –, du monothéisme. La religion est-elle capable de revenir au premier rang et, sinon, de répondre aux questions laissées ouvertes par la science, du moins d'apaiser l'angoisse qui nous étreint ?

44

Le mot qui correspond et convient à la science, c'est le mot *savoir*. Le mot qui correspond et convient à tout ce qui échappe à la science et qui est peut-être l'essentiel, c'est le mot *croire*.

Croire est plus faible que *savoir*. Si vous croyez que votre train part à 12 h 04, vous avez de bonnes chances de le rater. Il ne suffit pas de croire : il faut savoir. Dans l'ordre des chiffres et des idées, dans la vie intellectuelle comme dans une vie pratique de chaque jour, savoir est très supérieur à croire. De Platon à Spinoza, l'opinion n'a pas bonne presse chez les philosophes. Croire prend sa revanche dans l'ordre des espérances, des aspirations et des convictions.

La science forme et utilise ceux qui savent : ce sont les savants. La passion, l'amour, la religion forment et enseignent ceux qui croient : ce sont les croyants. Ce qui compte pour les savants, c'est la vérité. Elle passe son temps à changer, mais elle est la rigueur même. Ce qui compte pour les croyants, c'est leur foi. Il est difficile de l'expliquer et même de le comprendre, mais ils s'y soumettent les yeux fermés.

Comme c'est curieux ! Les croyants se font tuer pour ce qu'ils croient plus volontiers que les savants pour ce qu'ils savent. D'un côté, saint Étienne, saint Paul, saint Pierre, saint Sébastien, sainte Blandine et une foule de croyants, hommes ou femmes, juifs, chrétiens, musulmans, bouddhistes, hindouistes, qui acceptent de se faire égorger. De l'autre, Galilée.

45

PRESQUE TOUJOURS APPUYÉE sur des textes sacrés, sur une tradition familiale, sur une éducation, la foi est une croyance. La plus ferme, la moins soumise à la contradiction et même à la discussion, la plus inébranlable de toutes les croyances et de toutes les opinions.

Elle peut accompagner toute une vie. Elle peut aussi surgir soudain – Paul Claudel à Notre-Dame de Paris, le soir de Noël 1886 – et bouleverser votre existence.

À la différence de beaucoup d'autres convictions, la foi est mêlée d'ignorance. Par sa force, par son évidence, elle est le contraire de l'ignorance – et elle est fondée sur l'ignorance. C'est parce que vous ne pouvez rien savoir de votre origine et de votre destin que vous les confiez à Dieu pour qu'il en fasse ce qu'il veut. Et vous, vous êtes heureux de vous être mis entre ses mains.

Fondée sur l'ignorance, assumée jusqu'à la mort, la foi est aussi, le plus souvent, traversée, et parfois martyrisée, par le doute. De grands saints, de grandes saintes – saint Jean de la Croix, sainte Thérèse d'Avila, mère Teresa, tant d'autres – ont confessé que le doute n'avait jamais cessé de se mêler à leur foi.

Cernée par l'ignorance et le doute, la foi va parfois jusqu'à se confondre avec l'absurde. Vous ne croyez pas seulement parce que vous ne savez pas, il vous arrive aussi de croire parce que l'objet de votre confiance est difficile à imaginer, difficile à croire, contraire au sens commun, contraire à la logique, en un mot : absurde. Souvent prêtée – à tort – à saint Augustin, la formule « *Credo quia absurdum* » a longtemps été célèbre.

Héritière d'Héraclite, la dialectique marxiste est souvent à l'ordre du jour et même à l'honneur. Pour la subtilité, et parfois la mauvaise foi, il arrive à une certaine dialectique chrétienne – souvent traitée de jésuite – de n'avoir pas grand-chose à envier à la dialectique marxiste.

46

Croire est une grande chance. La foi est un bonheur. Plus puissante encore que la pensée, elle soulève des montagnes. Elle éclaire le monde d'une lumière venue d'ailleurs. Avec elle et par elle, l'histoire est justifiée. Le malheur s'explique et s'inverse en acceptation. Tout bonheur vient de Dieu. Merci pour les roses et merci pour les épines.

Il est enfin possible et nécessaire non seulement de servir Dieu et de chanter ses louanges, mais d'écrire, de peindre, de sculpter des chefs-d'œuvre : des tragédies chrétiennes, des cantates, des requiem, des temples et des mosquées, des statues de la Vierge, des Annonciations et des Assomptions, des montées au Calvaire et des christs en croix chargés d'embellir vos cathédrales, vos basiliques, vos humbles églises de campagne où passeront et prieront bien des âmes.

Dieu ne cesse jamais d'être le premier servi et chacun, à tous les âges, dans tous les pays, à tous les niveaux et dans toutes les conditions, vit et meurt pour sa foi.

47

LA FOI EST SI PRÉCIEUSE, elle est si ambiguë, elle nous dépasse de si loin qu'elle réclame pour chacun une aide venue d'en haut. C'est ce secours divin que nous appelons la grâce.

Au sein de la chrétienté, ce don gratuit tombé du ciel a donné naissance, de saint Augustin à Port-Royal, en passant par Luther, par Calvin, par Jansenius, à des ouvrages sans nombre – dont *Les Provinciales* de Pascal – et à de grandes querelles politiques et religieuses qui, nées du jansénisme, utilisées par des écrivains et des parlementaires porteurs de l'esprit du temps, contribueront à la chute d'une monarchie millénaire.

D'inspiration céleste, la grâce a aussi une jolie carrière laïque. Plus belle que la beauté, enchanteresse chez La Fontaine, chez Marivaux, chez Watteau, chez Boucher, la grâce, venue d'en haut et de la religion, inséparable de la foi, aura joué un rôle non seulement spirituel, politique et historique, mais littéraire et artistique majeur.

48

JE REGRETTE D'ÊTRE CONTRAINT, une fois encore, de donner à ces quelques feuillets un tour trop personnel que je déplore, mais je ne peux échapper à cette obligation : je me dois d'indiquer à mes lecteurs et à mes lectrices que Dieu, la nécessité, le hasard ou l'hérédité m'ont refusé le don de la foi. La grâce divine ne m'est pas venue en aide.

De saint Augustin et saint Thomas à Pascal, à Corneille, à Racine, à Chateaubriand, de Dante à Péguy ou à Claudel, je suis entouré d'esprits qui savent dur comme fer que Dieu existe. Mais aussi d'esprits – le Bouddha, Épicure, Lucrèce, Karl Marx, Albert Camus, Jean-Paul Sartre… – qui savent avec tout autant de certitude qu'il n'existe pas. Dieu existe-t-il ? Je ne peux, à cette question, offrir qu'une seule réponse : « Je ne sais pas. »

Qui suis-je pour résoudre un problème qui a jeté dans les affres de l'incertitude des générations de théologiens et de savants ? Qui suis-je pour trancher un débat qui se poursuit en vain depuis deux ou trois millénaires ? Tout ce que je peux faire, c'est exprimer un sentiment : ce que j'aimerais par-dessus tout, c'est que, sous une forme ou sous une autre, j'hésite beaucoup sur ce point, Dieu existât.

49

JE NE SAIS PAS SI DIEU EXISTE : je suis agnostique. L'agnostique est trop souvent jeté dans le même sac que l'athée. C'est une erreur. L'athée est très loin de ne pas savoir : il sait de source sûre que Dieu n'existe pas. Je souhaite, au contraire, avec une sorte de passion, que Dieu existe. Pour dire, une fois de plus, les choses aussi vite que possible, j'ai remplacé la foi par l'espérance.

Pour nous qui ne savons rien, qui ne pouvons rien savoir hors des limites du temps, il n'est pas impossible que croire en Dieu, ce soit espérer qu'il existe. Si espérer qu'il existe, c'est déjà croire à Dieu, alors, oui, je crois à Dieu.

50

Un monde sans Dieu serait trop injuste, trop triste, trop inutile. Nous vivons dans un univers dominé par un temps qui détruit tout ce qu'il construit et où, entre deux accès de bonheur et de gaieté, règnent le mal, la maladie, le chagrin, l'injustice. Sans Dieu, pas d'espérance. Notre seule chance : que Dieu existe.

Ce que ce monde, dans l'espérance, peut faire de mieux, c'est de nous servir de passage et d'introduction à un monde de vérité et de justice – s'il existe.

51

NE NOUS FAISONS PAS D'ILLUSIONS : nous avons très peu avancé. Nous n'avons réussi à répondre à aucune des questions que nous nous posions dès le début de ces pages. Au bout de tant d'efforts, il nous est toujours impossible d'avancer avec sûreté dans le dédale d'un univers où ni la science ni la religion ne peuvent forcer les murs qui bornent notre pensée et nous fournir les réponses, acceptables par tous, que nous espérions.

Toute-puissante et triomphante dans tous les autres domaines, la science est incapable de nous aider si peu que ce soit dans le double mystère de nos débuts avant le début et de notre destin après notre fin. Elle reste muette sur l'au-delà de la mort et impuissante sur nos lointaines origines.

Plus proche de la réalité qu'Aristote, le récit de la Genèse dans l'Ancien Testament reste une fiction poétique. Naguère hostile à la science et toujours dépassée par une marche du temps qu'elle ignore trop souvent, la religion chrétienne, si évidemment supérieure à toutes les autres, en dépit de l'Inquisition et de tant d'horreurs, par son culte de l'amour et de la beauté, a déjà perdu beaucoup de terrain. Malgré ses poètes et ses philosophes, ses fresques et ses cathédrales, ses requiem et ses miserere, elle a du mal à convaincre des adversaires irréductibles. Si magnifique dans le passé avec ses mosquées, ses palais, ses universités, la religion musulmane est victime d'un terrorisme assassin dont elle ne parvient qu'avec peine à se démarquer une fois pour toutes.

Les mathématiques pourront bien proposer avec talent, et parfois avec génie, des modèles de l'univers antérieurs au Big Bang et au mur de Planck qui en interdit l'accès, leur vérification scientifique et empirique – qui a donné raison, coup sur coup, aux théories de Newton, de Hubble, d'Einstein et à la théorie quantique – ne sera jamais possible.

Les religions pourront bien ravauder et multiplier, sur les origines de l'univers et de l'homme, sur les vertes prairies de l'éternité ou sur les tourments sans fin après notre mort physique, les constructions les plus subtiles et les plus séduisantes, elles ne parviendront jamais à obtenir l'accord unanime – réservé à la science – de l'esprit et du cœur.

Au-delà de la science et de la religion, toutes les deux battues en brèche en dépit de leur splendeur, nous n'avons plus pour ressources que la naïveté et la gaieté.

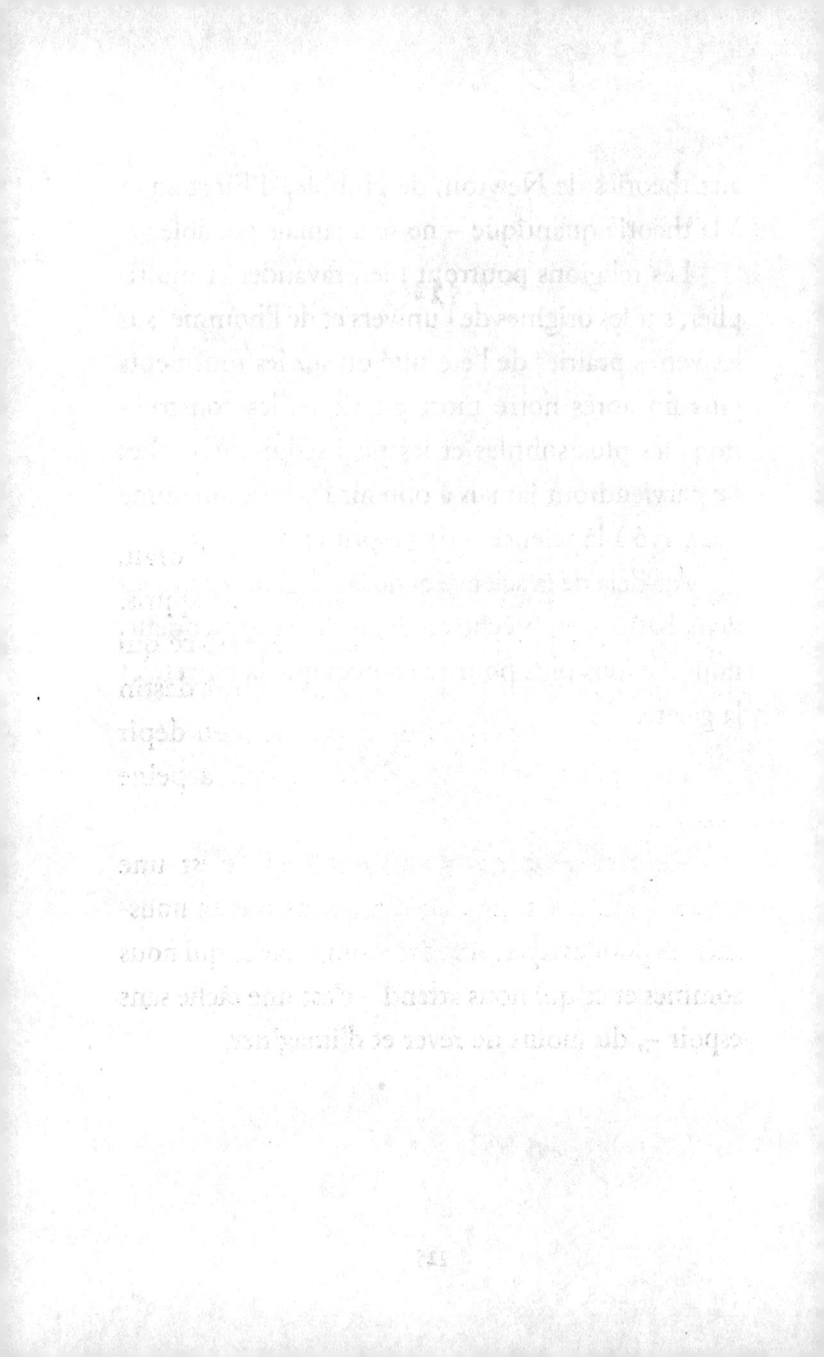

52

OUBLIONS LA BIBLE. Oublions le Coran. Oublions la science qui nous a tant appris. Revenons à notre point de départ. Qu'est-ce qui nous occupait au début de ces pages ? Notre destin dans cette vie et ce monde si étranges en dépit de leur apparente évidence et, ensuite, à peine vraisemblables.

Regardons le Soleil qui semble – c'est une erreur – tourner autour de nous. Rentrons en nous-mêmes pour essayer, sinon de comprendre qui nous sommes et ce qui nous attend – c'est une tâche sans espoir –, du moins de rêver et d'imaginer.

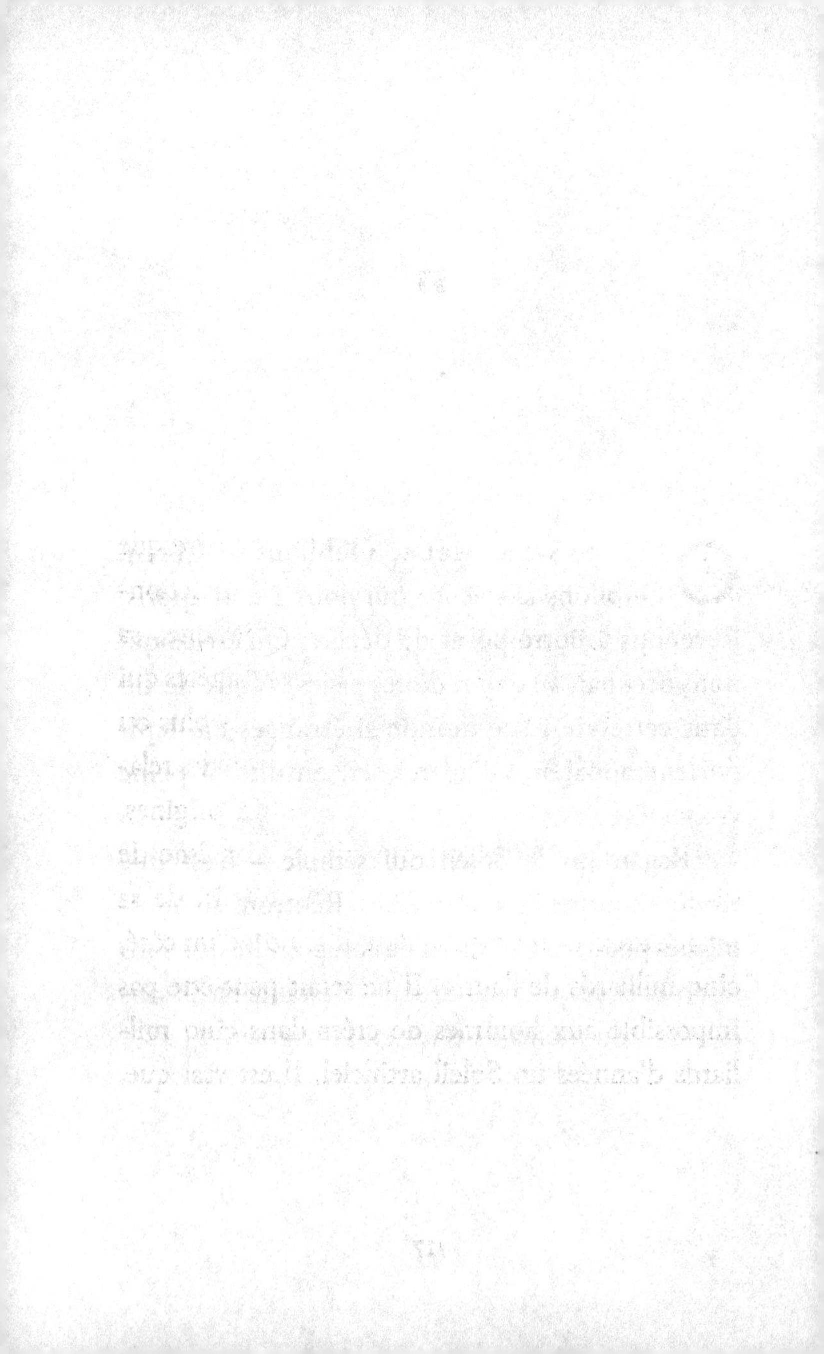

53

Ah ! bien sûr, du Soleil nous savons presque tout. Ses dimensions, son âge, son fonctionnement physique, chimique, mathématique, sa distance à la Terre, ses rapports avec les planètes qui tournent autour de lui et avec les galaxies plus ou moins lointaines qui entretiennent avec lui des relations compliquées. Nous connaissons ses origines, sa formation, ses dates d'apparition et même de disparition. Il est à peu près à mi-chemin de sa longue existence : cinq milliards d'années d'un côté, cinq milliards de l'autre. Il ne serait peut-être pas impossible aux hommes de créer dans cinq milliards d'années un Soleil artificiel. Il est vrai que, dans cinq milliards d'années, les hommes auront disparu depuis longtemps.

Mais tout savoir du Soleil et tout savoir du reste ne nous suffit pas. La question que nous nous posons inlassablement sans jamais obtenir de réponse tient en quelques mots : qu'est-ce que le monde fait là ? Et, plus simple encore : que faisons-nous dans ce monde ?

54

CE QUI FRAPPE DANS CE MONDE, en dehors de sa complexité, c'est sa rigueur. Dans son histoire et dans sa structure telles que la science nous les présente, la foule presque sans bornes des mécanismes et des situations ne tolère ni transgression, ni accident, ni hasard. Le hasard a pu laisser sa marque dans les étapes successives de la construction et de l'évolution du réel, il ne menace à aucun moment la rigueur implacable du système. Nous le savons déjà : le moindre millimètre en plus ou en moins, la moindre fraction de seconde en avance ou en retard, la moindre variation de masse, de température, d'énergie – et tout l'édifice de l'univers s'écroule. Les hommes sont bien capables de bouleverser l'ordre des choses à leur niveau – et, pour le meilleur comme pour le pire, leur puissance ne fait que s'accroître –, ils sont impuissants devant ce qu'il faut bien appeler la structure ou le programme de l'univers. La nécessité règne en maîtresse sur le monde.

55

L'IDÉE, SOUVENT AVANCÉE, d'un hasard organisateur qui, mêlé à la nécessité, serait à l'origine de la formation et du développement de l'univers est une idée folle. Le hasard peut faire et a fait des choses immenses. On pourrait fournir sans trop de peine une foule d'exemples éloquents. Des catastrophes. Des chefs-d'œuvre. Ce qui est impossible et contradictoire, c'est la répétition de ces hasards heureux allant tous dans le même sens pour former un ensemble cohérent. Je veux bien être naïf, mais la naïveté a des limites. Le Soleil ne se lève pas par hasard.

Le hasard, tout le monde le sait, est une manifestation, en marge de la raison, provenant de la rencontre fortuite de deux ou plusieurs séries de nécessités convergentes. Un hasard organisateur se changerait en magie. Structuré pas des hasards continus qui aboutiraient à la rigueur que vous savez, l'univers serait un oxymore hallucinant et le plus métaphysique de tous les miracles.

56

Il faut bien le reconnaître aussitôt : Dieu pose autant de problèmes que le hasard. Fruit d'une série ininterrompue de hasards heureux, un hasard organisateur est impossible. Mais Dieu n'est guère plus probable.

« Vous remontez, disent ses adversaires, d'effet en cause, de plus en plus haut, de plus en plus loin, jusqu'à Dieu. Mais Dieu n'échappe pas aux exigences de cette généalogie sans fin. Il est lui-même l'effet d'une cause plus primitive, et ainsi de suite, à l'infini. »

La réponse consiste moins à effacer le mystère de Dieu qu'à le mettre en pleine lumière. Dieu, s'il existe, est non seulement un mystère, mais le mystère des mystères. Il prend sur lui toute la suite infinie des mystères. Il est une sorte d'abcès de fixation de l'incompréhensible. Il est le mystère qui explique tout le mystère du monde.

57

Le Dieu dont nous avons l'audace de parler n'est pas seulement un mystère. Il est une invention des hommes.

Il est tout à fait clair que, si Dieu a inventé les hommes, les hommes, en revanche, ont inventé leur Dieu. Tout ce qu'ils savent ou croient savoir de Dieu, ils l'ont tiré de leur pensée, de leur imagination, de leur angoisse. Le Dieu du monothéisme, le Dieu qui règne sans rival pendant près de deux millénaires, surgit très tard dans l'histoire des hommes. L'écriture a cinq mille ans. Le monothéisme n'en a pas beaucoup plus de trois mille. Le culte d'un Dieu unique, créateur du ciel et de la terre, est un culte récent.

Pendant des millénaires et des millénaires, les hommes ne se sont pas fait la moindre idée d'un Dieu unique dont aurait dépendu l'univers. Des esprits aussi distingués que les Grecs et les Romains de la fin de l'Antiquité avaient du mal à accepter l'idée d'un Dieu tout-puissant, créateur de toutes choses. Les adversaires de Dieu n'ont pas tort : l'idée que les hommes se font de Dieu est plus humaine que divine.

58

À NOS REGARDS DU MOINS, Dieu est un mystère. Dieu n'a pas d'autre existence que celle que nous nous efforçons de lui prêter. Personne ne l'a jamais vu. Chacun peut s'en passer. Dieu est assez peu probable. Dieu a toutes les apparences d'une illusion consolatrice. Dieu est invraisemblable.

C'est là que se dissimule peut-être une des clés de l'affaire. Dieu est invraisemblable – mais pas beaucoup plus que tous les miracles que nous avons vus défiler sous nos yeux écarquillés : la goutte d'eau, le grain de sable, la poussière minuscule d'où sort tout ce qui existe, la lumière, l'expansion continuelle de l'espèce, le temps dont nous ne savons rien, l'histoire, cette stupeur, la vie, une nécessité peuplée de hasards, pas beaucoup plus invraisemblable que le monde étrange où nous vivons tous les jours et qui nous paraît si évident.

59

JE NE PRÉTENDS PAS QUE DIEU EXISTE : je n'en sais rien. Je prétends qu'il peut exister. Je prétends que rien ne s'oppose à son existence. Je prétends qu'il a le droit d'exister. C'est comme un coin de ciel bleu au terme d'une journée plutôt sombre.

60

LES CHRÉTIENS N'ONT PAS LE DROIT de se plaindre – d'ailleurs, ils ne se plaignent pas. Non seulement il ne peut pas leur être interdit de croire en un Dieu créateur du ciel et de la terre, mais ils ont la chance d'avoir pour modèle, sous leurs yeux, un personnage à qui l'existence et la place dans notre histoire ne peuvent pas être contestées : Jésus.

Lui au moins, il est permis de l'admirer et de l'aimer sans se poser trop de questions sur sa réalité. Si quelqu'un a laissé une trace éclatante dans l'esprit des hommes, c'est bien le Christ Jésus.

Du même auteur (suite)

Aux Éditions Robert Laffont

Voyez comme on danse, 2001.
Et toi mon cœur pourquoi bats-tu, 2003.
Une fête en larmes, 2005.
La Création du monde, 2006.
La vie ne suffit pas, Bouquins, 2007.
Qu'ai-je donc fait, 2008.
Discours de réception de Simone Veil à l'Académie française et réponse de Jean d'Ormesson, 2010.
C'est une chose étrange à la fin que le monde, 2010.
C'est l'amour que nous aimons, Bouquins, 2012.
Un jour je m'en irai sans en avoir tout dit, 2013.
Dieu, les affaires et nous : chronique d'un demi-siècle, Bouquins, 2016.
Ces moments de bonheur, ces midis d'incendie, Bouquins, 2016.

Aux Éditions Jean-Claude Lattès

Mon dernier rêve sera pour vous, biographie sentimentale de Chateaubriand, 1982.
Jean qui grogne et Jean qui rit, 1984.
Le Vent du soir, 1985.
Tous les hommes en sont fous, 1986.
Le Bonheur à San Miniato, 1987.

Aux Éditions Nil

Une autre histoire de la littérature française (t. 1), 1997.
Une autre histoire de la littérature française (t. 2), 1998.

Aux Éditions Julliard

L'amour est un plaisir, 1956, épuisé.
Du côté de chez Jean, Julliard, 1959, épuisé. Folio, 1978.
Un amour pour rien, Julliard, 1960, épuisé. Folio, 1978.
Au revoir et merci, Julliard, 1966, épuisé. Folio, 1976.
Les Illusions de la mer, 1968, épuisé

Aux Éditions Grasset

Tant que vous penserez à moi,
entretiens avec Emmanuel Berl, 1992.

Aux Éditions Héloïse d'Ormesson

Odeur du temps, 2007.
L'Enfant qui attendait un train, 2009.
Saveur du temps, 2009.
La Conversation, 2011.
Comme un chant d'espérance, 2014.

✹

Achevé d'imprimer
sur Roto-Page
par l'Imprimerie Floch
à Mayenne,
en décembre 2018.

✹

Dépôt légal
août 2018.
Numéro d'imprimeur
93726

Imprimé en France